...de **l'heure des histoires**, tandis que l'un regarde
...l'autre lit le texte, une relation s'enrichit,
...alité se construit, naturellement, durablement.

...Parce que la lecture partagée est une expérience
...able, un vrai point de rencontre. Parce qu'elle développe
...nfants la capacité à être attentif, à écouter, à regarder,
...mer. Elle élargit leur horizon et accroît leur chance
...de bons lecteurs.

...Tous les jours, le soir, avant de s'endormir, mais aussi
...de la sieste, pendant les voyages, trajets, attentes...
...lecture partagée permet de retrouver calme et bonne humeur.

...l'on se sent bien, confortablement installé, écrans
...Dans un espace affectif de confiance et en s'assurant,
...que l'enfant voit parfaitement les illustrations.

...Avec enthousiasme, sans réticence à lire
...fois » un livre favori, en suscitant l'attention
...le respect du rythme, des temps forts,
...ion.

TRADUCTION DE CHRISTINE MAYER

ISBN : 978-2-07-063337-1
Publié par Andersen Press Ltd., Londres
Titre original : *Not now Bernard*

Numéro d'édition : 175008
Loi n° 49-956 du 16 juillet 1949
sur les publications destinées à la jeunesse
Dépôt légal : septembre 2015
Imprimé en France par I.M.E.
Maquette : Karine Benoit

David McKee

Bernard et le monstre

GALLIMARD JEUNESSE

– Coucou, papa ! dit Bernard.

– Pas maintenant, Bernard, dit son papa.

– Coucou, maman ! dit Bernard.

– Pas maintenant, Bernard, dit sa maman.

– Il y a un monstre dans le jardin
et il va me manger, dit Bernard.

– Pas maintenant, Bernard,
dit sa maman.

Bernard sort dans le jardin.

– Coucou, monstre ! dit Bernard.

Mais le monstre dévore Bernard
jusqu'au dernier morceau.

Puis le monstre entre dans la maison.

– Grrr… Grrr, fait le monstre
derrière la maman de Bernard.

– Pas maintenant, Bernard,
dit la maman.

Le monstre mord la jambe
du papa de Bernard.

– Pas maintenant, Bernard,
dit le papa.

– Ton dîner est prêt, dit la maman de Bernard.

Elle pose le dîner devant la télévision.

Le monstre dévore le dîner.

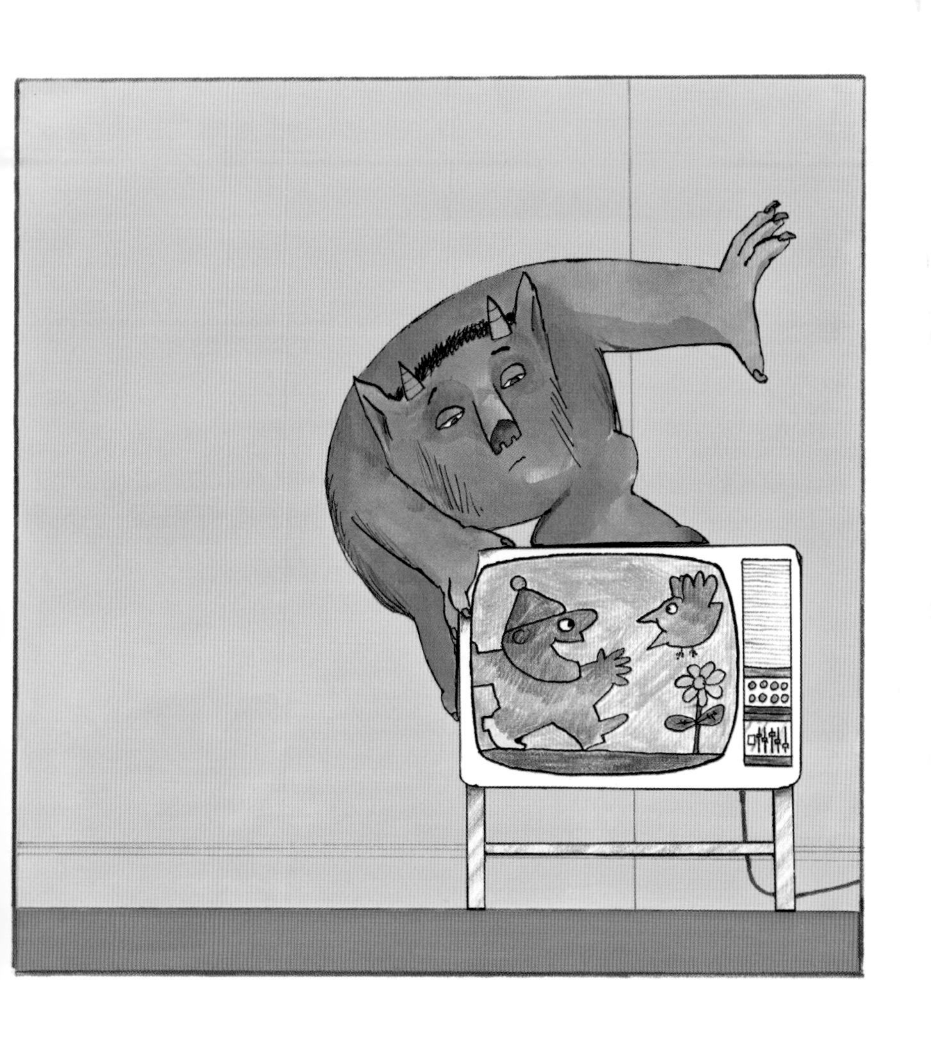

Puis il regarde la télévision.

Il lit quelques bandes dessinées de Bernard.

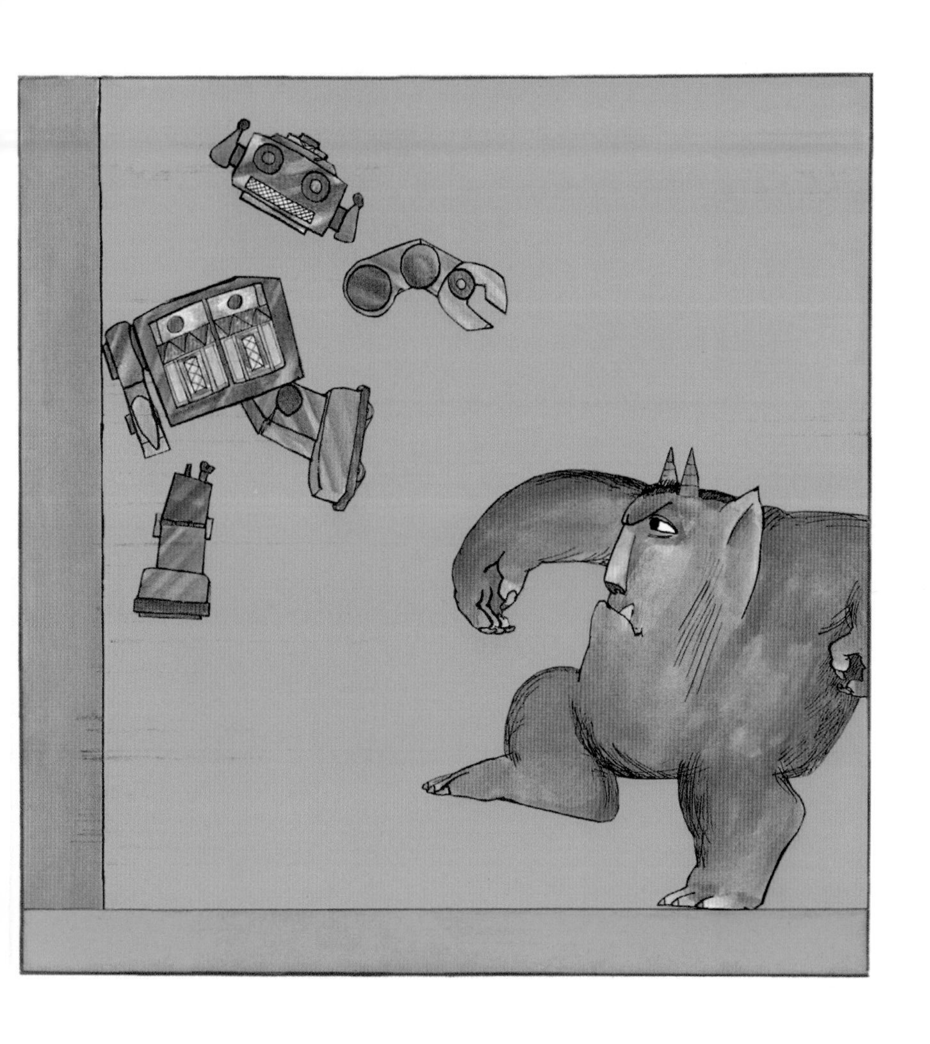

Il casse tous ses jouets.

– Va au lit, je t'ai porté un verre de lait dans ta chambre, crie la maman de Bernard.

Le monstre monte les escaliers.

– Mais je suis un monstre, dit-il.

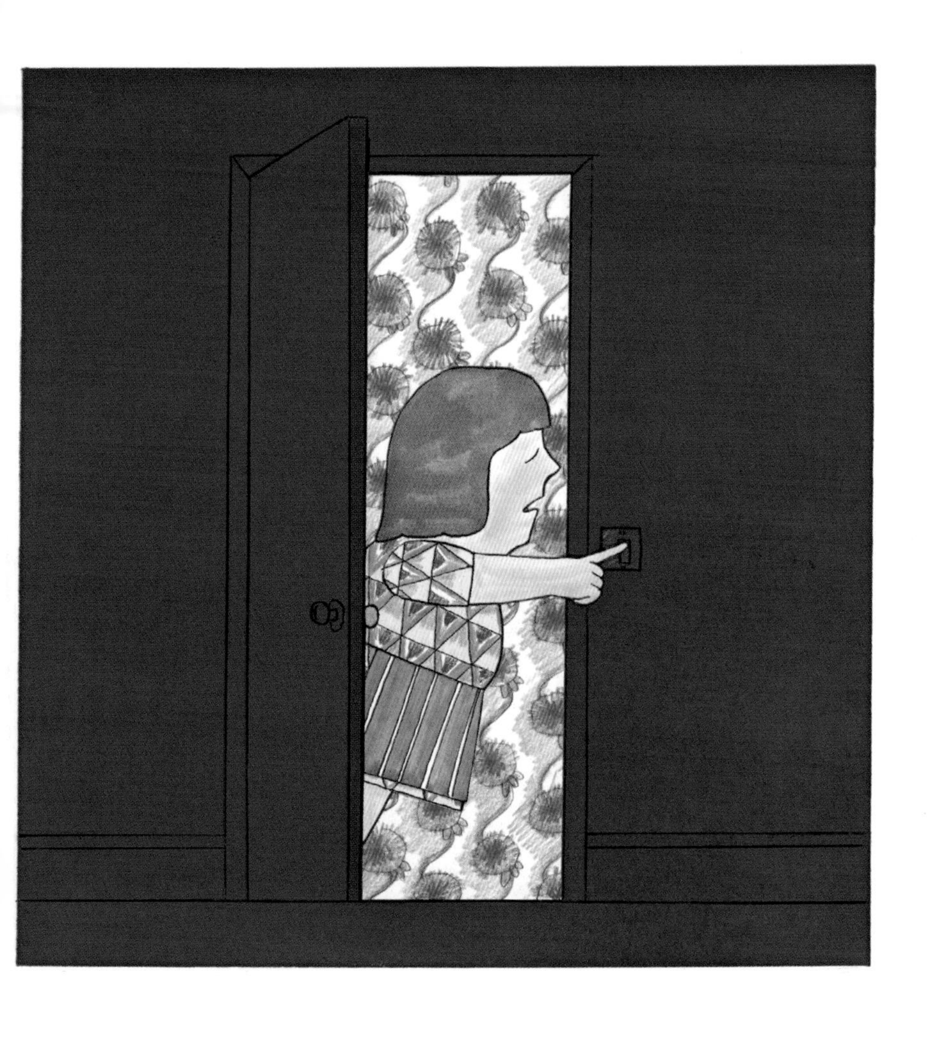

– Pas maintenant, Bernard, dit la maman.

Fin

Une collection
de plus de 100 titres

n° 1 *Le vilain gredin*
par Jeanne Willis
et Tony Ross

n° 4 *La première fois que je suis née* par Vincent
Cuvellier et Charles Dutertre

n° 5 *Je veux ma maman !*
par Tony Ross

n° 18 *L'énorme crocodile*
par Roald Dahl
et Quentin Blake

n° 19 *La belle lisse poire du prince de Motordu*
par Pef

n° 22 *Gruffalo*
par Julia Donaldson
et Axel Scheffler

n° 25 *Pierre Lapin*
par Beatrix Potter

n° 29 *Le Chat botté*
par Charles Perrault
et Fred Marcellino

n° 78 *Amos et Boris*
par William Steig

n° 80 *C'est un livre*
par Lane Smith

n° 86 *Moi, j'aime quand Papa...* par Arnaud Alméras et ®obin

n° 90 *Le petit âne de Venise*
par Michael Morpurgo
et Helen Stephens

n° 97 *Une aventure de Choura*
par Patrick Modiano
et Dominique Zehrfuss

n° 98 *Une fiancée pour Choura*
par Patrick Modiano
et Dominique Zehrfuss

n° 99 *Cendrillon*
par Charles Perrault
et Caroline Dall'Ava

n° 100 *Petit Bateau*
par Stephen Savage

n° 101 *Superasticot*
par Julia Donaldson
et Axel Scheffler

n° 102 *Tom batifole*
par Russell Hoban
et Quentin Blake

n° 103 *La surprenante histoire du Docteur De Soto* par
William Steig

Ebooks et applications

Les livres audio pour lire mais aussi écouter l'histoire.

La belle lisse poire du prince de Motordu
de Pef

Existent aussi :
Au revoir Blaireau de Susan Varley
Au loup tordu! de Pef

Les applications des contes illustrés. La magie des contes classiques avec des illustrations originales et plus de 100 animations.

Jacques et le haricot magique

Une multitude d'histoires
dans l'histoire et de jeux interactifs.

Existent aussi :
Les trois petits cochons
Le Petit Chaperon rouge
Cendrillon